Un murciélago

Un pez

DISCARDED

Un dragón

Un extraterrestre

Una excavadora

Un papá

Título original: UNE HISTOIRE QUI...
© Éditions du Seuil, 2016
© de la traducción española:
EDITORIAL JUVENTUD, S. A., 2018
Provença, 101 - 08029 Barcelona
info@editorialjuventud.es
www.editorialjuventud.es

Traducción: Paula Jarrin Servidio
Primera edición, 2018

ISBN 978-84-261-4490-4
DL B 27729-2017
Núm. de edición de E. J.: 13.563

*Printed in Italy*

Gilles Bachelet

# Un cuento que...

Editorial EJ Juventud

Una mamá muy dulce
Un bebé con mofletes
Un peluche con bigotes…

... Un cuento que se abre

Un papá con bigotes
Un bebé muy atento
Un peluche de pico largo…

... Un
cuento
que
derrite
el corazón.

Una mamá de pico largo
Un bebé en las alturas
Un peluche de cuello alto…

... Un cuento que viaja. . . . . . . . . . . . .

Un papá de cuello alto
Un bebé de cuadros
Un peluche que se esconde…

prolonga.

que se

cuento

... Un

Una mamá que se esconde
Un bebé en un cascarón
Un peluche con caparazón…

… Un cuento que nace.

Un papá con caparazón
Un bebé que sonríe
Un peluche boca abajo…

... Un cuento ............... que se lleva ................... encima ...........

Una mamá boca abajo
Un bebé boca arriba
Un peluche acuático…

... Un cuento

sin pies

(ni cabeza).

Un papá acuático
Un bebé que chapotea
Un peluche que escupe fuego…

... Un cuento que colea......

Una mamá que escupe fuego
Un bebé dentro de una gruta
Un peluche espacial…

... Un cuento que brilla.

Un papá espacial
Un bebé que parlotea
Un peluche mecánico…

... Un..............
cuento....................
que pasa...................
volando.....................

Una mamá mecánica
Un bebé feliz
Un peluche que se despereza…

...Un
cuento
que
protege.

Un papá que se despereza
Un bebé que se duerme
Un peluche blandito…

... Un cuento que termina.

Un oso panda

Una morsa

Una cigüeña

Una jirafa

Un avestruz

Un caracol